Venise

Véronique Laflèche

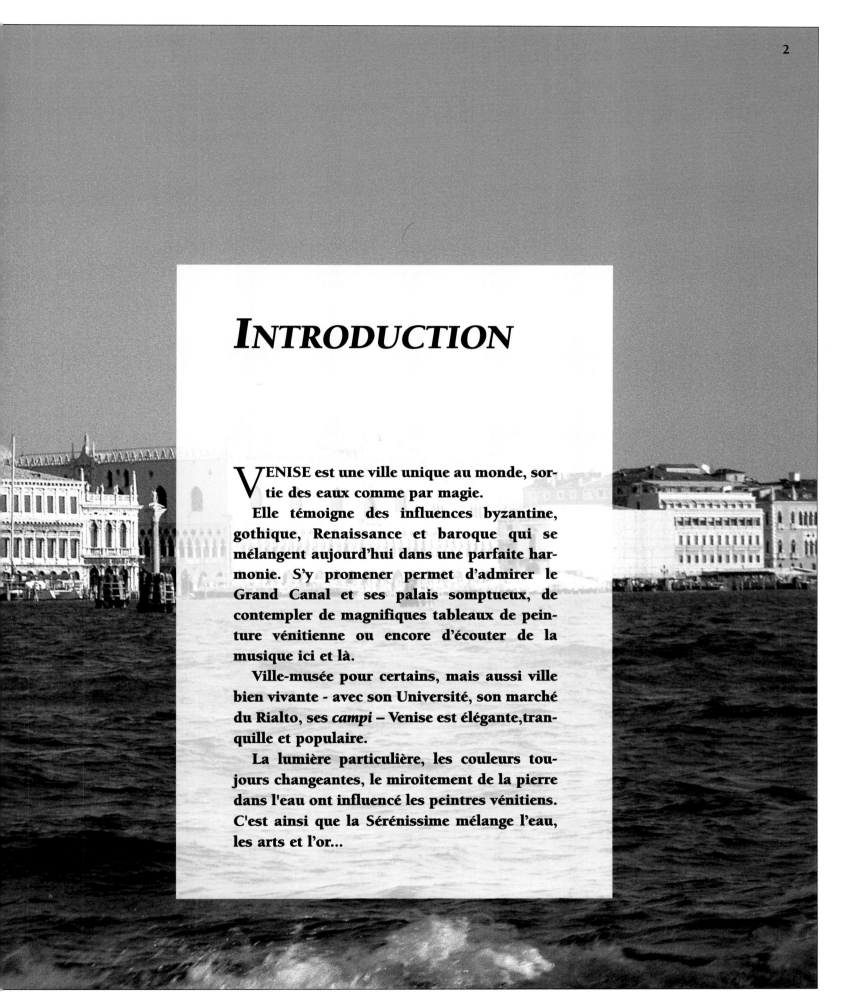

INTRODUCTION

VENISE est une ville unique au monde, sortie des eaux comme par magie.

Elle témoigne des influences byzantine, gothique, Renaissance et baroque qui se mélangent aujourd'hui dans une parfaite harmonie. S'y promener permet d'admirer le Grand Canal et ses palais somptueux, de contempler de magnifiques tableaux de peinture vénitienne ou encore d'écouter de la musique ici et là.

Ville-musée pour certains, mais aussi ville bien vivante - avec son Université, son marché du Rialto, ses *campi* – Venise est élégante, tranquille et populaire.

La lumière particulière, les couleurs toujours changeantes, le miroitement de la pierre dans l'eau ont influencé les peintres vénitiens. C'est ainsi que la Sérénissime mélange l'eau, les arts et l'or...

VENISE, D'HIER ET D'AUJOURD'HUI

Sous l'Empire romain, une population de Vénètes vivait dans la lagune, zone marécageuse malsaine et inhospitalière, au bord de l'Adriatique entre Trieste et Ravenne. Ils habitaient des cabanes en joncs posées sur des *barene* (bancs de sable) ou des îlots et vivaient de la pêche et de la production de sel.

Ils furent rejoints par les autochtones de la terre ferme qui fuyaient les invasions barbares.

Les habitants de la lagune étaient sous la dépendance de Byzance et décidèrent, en 697, d'élire un duc - appelé « doge » en vénitien. Siégeant dans un premier temps à Malamocco, le doge se fixa au Rialto moins exposé aux invasions (810). De nombreux habitants quittèrent les îlots dispersés dans la lagune pour s'y regrouper.

Selon les traditions médiévales, Rialto se devait d'être sous la protection d'un saint, représenté par ses reliques. Théodore, un saint byzantin, protégeait déjà la lagune. C'est alors que deux marchands vénitiens "achetèrent" les reliques de l'évangéliste saint Marc à Alexandrie. De retour à Rialto en 828, ils les confièrent au doge Giustiniano Partecipazio qui décida de la construction d'une chapelle ducale reliée à la résidence des Doges. Saint Marc, dont le symbole est un lion ailé partout présent dans la ville, remplaça alors saint Théodore.

Pendant les années 800 à 1000, la ville tente de se détacher de Byzance et commence à bâtir son propre empire tourné vers la mer. Il faut alors régler le problème de l'insécurité dans l'Adriatique. En l'an 1000, le doge Pietro Orseolo II, aidé des Byzantins, mena une expédition punitive en Dalmatie et remporta la victoire. Venise devint maître des mers. Elle célèbre depuis lors le jour de l'Ascension, la Festa della Sensa, ses noces avec l'eau.

1. Une *acqua alta* sur la Piazza
2. Vue du bassin de Saint-Marc sur San Marco
3. Giovanni Bellini, *Le Doge Leonardo Loredan*, 1501-1505, Huile sur toile, 61,5 x 45 cm, Londres, The National Gallery
4. Guardi, *Le Bassin de Saint-Marc avec San Giorgio Maggiore et la Giudecca*, Huile sur toile, 72 x 97 cm, Accademia

La ville prend le nom dérivé de ses habitants, *Venezia*. En 1204, le vieux doge Enrico Dandolo organise la IVᵉ croisade. C'est la prise de Constantinople et sa mise à sac. L'Empire byzantin est dépecé, Venise s'enrichit et rafle un butin considérable.

Tout en étant devenue indépendante de la tutelle byzantine, la cité entretenait des relations privilégiées avec Byzance, ce qui lui permit de développer des relations commerciales avec l'Orient aux XIᵉ et XIIᵉ siècles. La ville possédait alors de nombreux comptoirs ainsi que des territoires acquis après la IVᵉ croisade dans tout le Bassin méditerranéen. Les Flandres et l'Angleterre devaient passer par Venise pour leur trafic avec l'Orient et payer une redevance. Les marchandises voyageaient en convois de galères protégés par des vaisseaux de guerre armés pour décourager les attaques des pirates et des Turcs. Le commerce connut son apogée aux XIIIᵉ et XIVᵉ siècles et ce fut l'émergence de quelques très belles fortunes. En 1284, Venise frappe sa monnaie, le ducat, qui devient la monnaie du grand commerce en Méditerranée orientale. Marco Polo fait son voyage en Chine (1271-1295).

Ce développement commercial intense sera compromis par la prise de Constantinople par les Turcs (1453) et par la ligue de Cambrai (1509).

Venise subit de nombreuses épidémies de peste qui déciment sa population et doit gérer ses conflits avec sa grande rivale, Gênes, pour rester maître des mers. Celle-ci lui inflige une sévère défaite navale en 1354, mais Venise triomphe de Gênes dans la guerre de Chioggia (1378-1381).

En 1453, les Ottomans conquièrent Constantinople qui prend le nom d'Istanbul : c'est la fin de l'Empire byzantin. Des arrangements permettent à Venise de continuer son commerce. En 1479, Venise signe la paix avec l'Empire ottoman en échange de quelques contreparties, à savoir la perte de plusieurs îles grecques et le paiement d'une soulte. Par son mariage avec le roi de Chypre, la vénitienne Caterina Corner, devenue veuve, permet à Venise d'obtenir cette place très importante dans le Bassin méditerranéen.

La ville veut montrer au monde entier qu'elle souhaite rester maître des mers et qu'elle mérite bien son surnom de Dominante. Elle met tout en œuvre pour s'embellir. Les peintres de la Renaissance décorent palais, églises et *scuole* construits par de talentueux architectes. C'est dans la seconde moitié du XVIᵉ siècle que de riches Vénitiens, inquiets des difficultés commerciales, se tournent vers la terre ferme et font construire de magnifiques maisons de campagne dont les fameuses villas palladiennes (la Rotonda, la Malcontenta, villa Pisani...). Elles sont à la fois

des lieux de villégiature et des exploitations agricoles. La Vénétie sera le jardin potager de Venise.

Au XVIIIᵉ siècle, Venise est épuisée par les guerres incessantes contre les Turcs et les épidémies de peste. Elle veut vivre en paix et se tourne vers elle-même. Les Vénitiens s'adonnent à la célébration de fêtes et à la passion du jeu. C'est la Venise baroque avec Casanova, Goldoni, Vivaldi, Tiepolo...

Venise vit dans la luxure. Dans cette ambiance déliquescente, son dernier doge, Ludovico Manin, abdique le 12 mai 1797 en faveur de Bonaparte. La ville passe ensuite sous domination autrichienne (1814-1866), puis est rattachée au royaume d'Italie par plébiscite (1866).

Venise est reliée à la terre ferme en 1846 par un pont de chemin de fer et se dote d'un nouveau port. Les ponts de l'Accademia et de la Stazione sont construits. De grandes artères sont percées pour relier la gare Santa Lucia au centre ville.

Le XIXᵉ est une période de rupture par rapport à la Venise éclatante du XVIIIᵉ siècle. En 1820, la ville ne compte plus que 100 000 habitants et subit une grande pauvreté. Ville très mélancolique, de nombreux étrangers viennent s'en inspirer. Thomas Mann en donne une vision sinistre dans *Mort à Venise*.

Au XXᵉ siècle, pour le plus grand malheur de la lagune vénitienne, une zone industrielle très importante est

créée à Porto-Marghera et à Mestre. Une voie routière double la voie de chemin de fer (pont de la Libertà en 1933). L'aéroport Marco Polo est inauguré en 1961.

L'acqua alta (inondation) du 4 novembre 1966 et l'incendie de la Fenice le 29 janvier 1996 attristent non seulement les Vénitiens, mais aussi le monde entier. Une prise de conscience internationale permettra de réagir, de débloquer des fonds et de tenter de sauver cette ville unique au monde.

VENISE AUJOURD'HUI

Venise est scindée en deux par le Grand Canal. La ville est un ensemble de 118 îlots isolés les uns des autres par de nombreux petits canaux (160), appelés *rii*. Dans les premiers temps, les habitants se déplaçaient en barque, puis, pour faciliter la vie quotidienne, des ponts ont été construits afin de relier les îles entre elles. On en dénombre aujourd'hui près de 400. Pour éviter toute fatigue inutile, de nombreux Vénitiens préfèrent choisir un trajet parfois un peu plus long, mais avec le minimum de ponts à franchir.

Venise est reliée au continent par le pont de la Libertà.

L'eau est omniprésente à l'intérieur de la ville. Outre les canaux, la présence de nombreuses margelles de puits témoigne du souci d'approvisionnement en eau des habitants. Elle l'est aussi à l'extérieur puisque Venise se trouve au milieu d'une lagune, étendue d'eau de mer comprise entre la terre ferme et un cordon littoral, appelé *lido*, dans lequel se frayent des passes. Venise est protégée de l'Adriatique par cette frontière naturelle formée de trois *lidi* : le lido di Iesolo, le lido di Venezia dit Lido et le lido di Pellestrina séparés les uns des autres par des passes (porto di Lido, porto di Malamocco et porto di Chioggia). Quand un visiteur arrive à Venise pour la première fois, cette "ville dans l'eau" surprend. Les transports en commun se font sur l'eau par *vaporetto* ou *motoscafo*, ainsi que le transport des marchandises, les déménagements, la police, les pompiers, les ambulances, les taxis... Seuls les services d'urgence peuvent dépasser la vitesse maximale autorisée. Aux heures de pointe, à Piazzale Roma ou à Ferrovia, le Grand Canal est embouteillé par les *vaporetti*, les *motoscafi* et autres embarcations. L'activité est très intense, mais les accrochages sont exceptionnels.

L'autre façon de se déplacer est de parcourir la ville à pied à travers les *calli* (ruelles), les *rughe* (rues commerçantes), de longer les *fondamente* (quais), de traverser les *campi* (places) et *campielli*, plus petits, de franchir les ponts, de s'aventurer dans un *ramo* (parfois une impasse), de passer sous un *sottoportego* (passage couvert), sans crainte aucune de se perdre, parce que l'on ne peut pas se perdre dans Venise. Des panneaux indicateurs permettent de retrouver le bon chemin, ou un aimable Vénitien, tendant la main devant lui, dira "de' A'", c'est-à-dire "toujours tout droit !", mais ce n'est pas aussi simple que cela. Rien n'est droit à Venise.

5. La Salute vue de l'Accademia

Les Vénitiens marchent d'un bon pas, en tenant leur droite et en restant attentifs à la circulation piétonne. Seuls les touristes sont particulièrement indisciplinés et créent de véritables bouchons. Néanmoins, les Vénitiens restent stoïques.

Très vite, l'absence de voitures et de rumeurs auxquelles tout citadin est habitué, est frappante. Seuls les moteurs de *vaporetti* se font entendre, le clapotis de l'eau, les discussions parfois très animées dans les rues, les bruits de pas. Les bruits sont très différents d'un moment à l'autre de la journée, et la nuit, tout devient feutré. L'eau des canaux est noire, et pour peu qu'il y ait du brouillard, la ville prend un aspect irréel et fantomatique. Les Vénitiens se couchant tôt, la ville est déserte. Cela pourrait paraître inquiétant et pourtant Venise est très sûre. Alors quel plaisir que de déambuler dans cette ville qui transpire son Histoire !

Chaque saison a sa couleur : une lumière cristalline et froide en hiver, un voile chaud et humide l'été. Cependant les vrais amoureux de Venise viennent l'hiver quand elle est délaissée par le tourisme.

Venise est une ville mythique à bien des égards, mais en dehors du cliché carte postale, chacun est libre d'y trouver ce qu'il veut et d'y ressentir ses propres émotions. Une certitude toutefois, c'est la ville qui concentre le plus de richesses et de beautés dans un espace aussi restreint. Pour un esprit cartésien, il semble y avoir un certain désordre : des églises là où l'on ne s'y attend pas, des culs-de-sac, des murs biscornus... La ville mélange tous les styles architecturaux, les palais côtoient de simples maisons, le tout dans une grande harmonie. Venise présente encore aujourd'hui un aspect très proche de celui du Moyen Âge. Une autre sensation étrange, c'est la notion du temps qui n'est pas la même que dans les autres grandes cités. Ici, tout est plus lent, sans doute à cause des déplacements qui sont différents. Vivre à Venise est une leçon de patience.

La ville ressemble à un véritable labyrinthe divisé en six *sestieri* ou quartiers : San Marco, Dorsoduro, San Polo, Santa Croce, Cannaregio et Castello. Les îles de la lagune font partie intégrante de la vie de Venise.

6. Une margelle de puits sur le campo San Marcuola
7. Le pont delle Pazienze

SAN MARCO

SAN MARCO, le quartier le plus visité de Venise, est le vrai centre historique de la ville. Au palais des Doges siégeaient les pouvoirs politique et judiciaire, à la basilique Saint-Marc le pouvoir religieux et au Rialto le pouvoir économique.

En venant de la pleine mer, les visiteurs, après avoir franchi l'une des passes du cordon littoral, parvenaient dans le bassin de Saint-Marc et se trouvaient stupéfaits de découvrir soudainement tant de beauté et de magnificence. Venise voulait ainsi les impressionner par une architecture de caractère, influencée par ses propres artistes. Bien sûr, le palais des Doges, la bibliothèque Marciana et la basilique Saint-Marc, tels que nous les connaissons aujourd'hui, ont subi de nombreuses transformations. C'est avec la IVᵉ croisade que Venise s'enrichit considérablement en rapportant de Constantinople des trésors inestimables.

En débarquant sur le môle, deux grandes colonnes s'imposent : à droite, la colonne de Saint-Marc avec son lion ailé en bronze et à gauche, la colonne de Saint-Théodore, premier patron de Venise.

Le premier palais habité par les doges, construit en 814, ressemblait à un château fort de style byzantin. Plusieurs fois incendié, il est reconstruit et achevé au XVIᵉ siècle.

De style gothique flamboyant et d'inspiration byzantine, le palais ducal est un bâtiment imposant recouvert de losanges en marbre roses et blancs. Ses galeries à arcades donnent à l'ensemble une impression de légèreté et d'élégance. Son architecture offre un mélange de force tranquille et de délicatesse sans ostentation notoire, ce qui reflète la Venise du XIVᵉ siècle.

8. Le palais ducal et le Campanile

L'entrée principale du palais est la Porta della Carta, surmontée du doge Foscari agenouillé devant le lion ailé de Saint-Marc. Suivent une cour intérieure et l'escalier des Géants avec les statues de Mars et Neptune de Sansovino (milieu XVIᵉ) qui mène au premier étage ou "étage noble" où le doge a ses appartements. Elu à vie, il préside tous les conseils mais n'a aucun pouvoir personnel. Il a des fonctions de représentation et peut être destitué par ceux-là mêmes qui l'ont choisi. L'organisation des pouvoirs, très complexe, a été modifiée à plusieurs reprises. Venise était une république oligarchique et aristocratique avec une grande stabilité politique.

La salle du Grand Conseil, la plus grande du palais, est riche de fresques de Véronèse, de Palma le Jeune et de Bassano avec, sur le mur du fond, l'un des plus grands tableaux au monde, *le Paradis* du Tintoret (1590). Dans cette salle se tenaient aussi les réceptions officielles. Très haute de plafond, elle occupe en fait les premier et deuxième étages.

L'accès au deuxième étage se fait par l'escalier d'Or terminé en 1559. Dans la salle du Sénat se tenaient les pouvoirs législatif et exécutif et dans la salle du Collège, où se trouve *la Bataille de Lépante* de Véronèse (1571), se réunissaient les magistrats de Venise.

Les célèbres prisons se situaient sous les toits (les Plombs) ou au rez-de-chaussée (les Puits). Des premières s'échappa un certain Giacomo Casanova en 1756... L'accès aux nouvelles prisons, construites au XVIᵉ siècle, se fait par le pont des Soupirs qui franchit le rio di Palazzo. Les derniers soupirs des condamnés s'en échappaient...

Accolée au palais des Doges, la grandiose basilique Saint-Marc impose ses formes pleines sur la Piazza. Comme le palais ducal, la basilique a subi une succession d'incendies. En forme de croix grecque, surmontée de cinq coupoles, elle est édifiée sur le modèle de Sainte-Sophie à Constantinople et mélange de façon très harmonieuse les styles byzantin, islamique, roman, gothique et même Renaissance. C'est la prise de Constantinople en 1204, suivie du vol de matériaux divers et précieux qui transformera véritablement la basilique.

9. La riva degli Schiavoni
10. Le palais ducal et la colonne de Saint-Marc

La basilique Saint-Marc est un témoignage flamboyant de l'immense richesse de Venise au temps de sa splendeur.

A l'extérieur de la basilique, le portail de gauche est orné de mosaïques représentant la Translation du corps de saint Marc (XIIIe siècle). Au-dessus du portail central, sur la loggia extérieure, se trouve une copie des quatre chevaux en bronze doré. L'original faisait partie du butin de Constantinople et a été "emprunté" quelques années par Napoléon. Il se trouve aujourd'hui à l'abri dans le musée de la basilique. Sur le côté droit de la basilique, une sculpture en porphyre rouge représente les Tétrarques (IVe siècle).

L'intérieur de la basilique Saint-Marc est inondé d'une lumière dorée. De superbes mosaïques sur fond d'or, exécutées sur plusieurs siècles, tapissent les murs, les colonnes, les coupoles sur plus de 4 000 m² et illustrent des scènes de la Bible. Le sol est recouvert d'un pavement en mosaïques de marbres polychromes. Dans le chœur, la Pala d'Oro ou retable d'or, commencée par des artistes byzantins, est achevée au XIVe siècle par un orfèvre vénitien. Elle est constituée de plusieurs dizaines de plaques d'or émaillées, de milliers de pierres précieuses et de 80 émaux, matériaux volés dans le Bassin méditerranéen.

11. L'escalier des Géants avec les statues de Mars et de Neptune par Sansovino
12. La cour intérieure du palais ducal

Le Trésor de Saint-Marc (icônes, reliques, pièces d'orfèvrerie...) s'est enrichi au cours des siècles, malgré le passage indélicat de Napoléon qui en a dérobé quelques pièces.

La Piazzetta, ancien bassin du port comblé au XIIᵉ siècle, est située entre le palais ducal d'une part, et le musée archéologique et la Libreria Marciana d'autre part. Elle s'étend jusqu'au môle. Sur cette Piazzetta est érigé le Campanile. Commencé au IXᵉ siècle et achevé au XVIᵉ, il s'effondre le 14 juillet 1902 pour ne plus former qu'un monticule de pierres. En 1912, il est reconstruit "dov'era e com'era" (où il était et comme il était). Au pied du Campanile se trouve la Loggetta, seulement visible du côté du palais ducal. Construite par l'architecte Jacopo Sansovino, en 1540, dans le style Renaissance et entièrement détruite lors de l'effondrement du Campanile, elle a été reconstruite elle aussi à l'identique.

La Libreria Marciana (1537-1553) est un chef-d'œuvre de Sansovino. C'est l'une des plus riches bibliothèques d'Italie, ayant largement bénéficié de la chute de Constantinople en 1453 et de l'importance de l'imprimerie au XVIᵉ siècle à Venise.

Au bout de la Piazzetta, sur le môle, une vue magnifique s'étend sur le bassin de Saint-Marc, la Giudecca et San Giorgio.

La Piazza, la seule à porter ce nom, est la plus grande place de Venise. Au XIᵉ siècle, c'était un jardin potager traversé par un canal. Sa forme actuelle trapézoïdale date du début du XIIᵉ siècle. Son dallage en brique (1267) est remplacé par un pavage de pierres en 1723. Pour Alfred de Musset, c'est "le plus beau salon du monde". L'espace de la Piazza forme un contraste étonnant avec les *calli* étroites et les petits *campi* aux alentours.

De chaque côté de la Piazza, les Procuratie Vecchie et Nuove abritaient les fonctionnaires de la République. Les célèbres cafés Florian et Quadri attirent toujours de nombreux touristes.

Napoléon décide de faire de la Piazza un espace clos. Il fait démolir, en 1807, l'église de San Geminiano édifiée par Sansovino, et construire les Procuratie Nuovissime. Cette "aile napoléonienne" abrite le musée Correr sur la vie quotidienne et l'histoire de Venise. Le musée possède également des sculptures de Canova.

13. Le pont des Soupirs
14. Les coupoles de la basilique Saint-Marc

15 - 16.Intérieurs de la basilique Saint-Marc
17. Mosaïques illustrant la Bible
18. Les chevaux en bronze doré

A l'extrémité des Procuratie Vecchie, à l'entrée des *mercerie* (rues commerçantes), la tour de l'Horloge de Mauro Codussi (fin XVe) présente un beau cadran de couleur bleue. Sur la façade se trouve le lion ailé de Saint-Marc et au sommet de la tour, deux Maures frappent une cloche pour indiquer les heures.

En descendant du *vaporetto* à San Marco, un soir d'hiver, on découvre une Piazza déserte et illuminée. Si le brouillard est tombé sur la ville, alors le lieu devient irréel et magique. A voir absolument au moins une fois dans sa vie.

La Piazza est le point le plus bas de Venise et subit plusieurs fois par an des inondations. Le 4 novembre 1966, une *acqua alta* particulièrement grave mit la place sous 1,20 m d'eau. Pour se rendre au pont du Rialto, le chemin le plus court et le plus commerçant est de prendre les différentes *mercerie*. Un vrai "bazar" commun à toutes les villes très touristiques. Une autre possibilité est d'aller au fond de la place et de se diriger vers le campo San Moisè, puis vers le campo San Maurizio. Des boutiques de grand luxe, des joailliers, des couturiers côtoient des marchands de tissu, tels Fortuny et Rubelli.

Sur le campo San Fantin, se trouve la Fenice déjà célèbre au XIXe siècle pour ses opéras. Pendant des travaux de rénovation, un court-circuit provoque la destruction totale du théâtre, le 29 janvier 1996.

La Fenice, ou "l'oiseau qui renaît de ses cendres", devait être reconstruite et terminée deux ans plus tard. Mais à ce jour, elle est toujours protégée des regards par de grandes toiles. Le campo Santo Stéfano, ou Francesco Morosini, est un lieu de passage obligé pour aller de la Piazza au pont de l'Accademia. Se succèdent différents *campi* qui mènent au campo San Bartolomeo, à proximité du pont du Rialto.

Au milieu de ce dernier *campo*, se dresse la statue de Carlo Goldoni, auteur de comédies vénitiennes du XVIIIe siècle.

Un peu à l'écart du campo Manin se dresse le palais Contarini del Bovolo de styles gothique-byzantin et Renaissance, avec son escalier extérieur en colimaçon.

Sur le campo San Beneto, le palais gothique Pesaro degli Orfei a été racheté par Mariano Fortuny réputé pour ses fameuses soies plissées. Aujourd'hui, le palais abrite le musée Fortuny.

18

19

19. L'intérieur de la basilique Saint-Marc

21

23. Gondoles dans le bassin de Saint-Marc
24. Le campo Santo Stéfano
25. L'escalier en colimaçon du palais Contarini del Bovolo

DORSODURO

EN venant de San Marco, pour quelques centaines de lires, on peut traverser le Grand Canal en prenant le *traghetto* (au bout du campo del Traghetto), et arriver près de la Salute.

On peut aussi emprunter le pont de l'Accademia qui relie San Marco et Dorsoduro. Un pont en fer avait été construit pendant l'occupation autrichienne (milieu XIXe) et fut détruit en 1930. Un pont provisoire en bois est alors érigé.

La vue du haut de ce pont, restauré en 1985, offre de chaque côté une belle perspective sur de nombreux palais.

En aval, le Grand Canal se jette dans le bassin de Saint-Marc. Cette vue exceptionnelle est toujours recommencée parce qu'en fonction de la lumière, la perception en est toujours différente.

Dorsoduro est un *sestiere* qui réserve de bien agréables surprises. C'est un quartier tranquille, résidentiel et assez chic. Les touristes ne s'aventurent guère au delà de l'Accademia et de la Salute. Même en plein mois d'été, de nombreuses *calli* sont désertes.

Au pied du pont de l'Accademia, sur le campo della Carità, le musée de l'Accademia a pris la place de la Scuola Grande della Carità, de son église et de son couvent. Ouvert en 1817, il renferme une très belle collection de peintures vénitiennes allant du XIVe au XVIIIe siècle.

26. La Salute et la Pointe de la Douane vues de la Giudecca

Aux peintures des primitifs italiens du XIVᵉ siècle (Paolo et Lorenzo Veneziano) d'influences byzantine et gothique, se succèdent au XVᵉ siècle des peintures plus réalistes (Del Fiore, Vivarini et les Bellini). Jacopo Bellini propose du gothique italien et l'un de ses fils, Gentile, réalise des portraits. C'est aussi le peintre des *scuole*. On lui doit *la Procession de la Place Saint-Marc* (1496). Quant à son autre fils, Giovanni, il est le peintre des madones aux couleurs rouges, blanches et bleues. Vivarini se situe entre le style gothique et le style Renaissance que Giovanni Bellini introduit dans la peinture vénitienne.

Comme Gentile Bellini, Vittorio Carpaccio décrit des scènes de la vie quotidienne à Venise. *La Guérison d'un possédé* montre l'ancien pont du Rialto, en bois, qui permettait de laisser passer en son milieu les bateaux à hauts mâts. *Le Cycle de sainte Ursule* est riche d'enseignements sur cette période.

Au XVIᵉ siècle, *la Tempête* de Giorgione, peint en 1507, se démarque très fortement du courant pictural primitif. Le peintre vénitien Lorenzo Lotto a laissé un très beau *Portrait d'un gentilhomme au lézard* (1525).

Lotto a été le concurrent direct de Titien. Peintre inquiet, marginal et ne voulant pas plaire à tout prix, il a peu travaillé à Venise et a été oublié pendant près de trois cents ans avant d'être réhabilité au XXᵉ siècle. Titien, ami

de l'Arétin, homme de lettres licencieux, domine la peinture du XVIᵉ siècle. Le rouge est sa couleur. Il peint aussi bien de grandes compositions religieuses ou mythologiques que des portraits pour les Grands du monde d'alors. *La Pietà* (1576), plus sombre, est son dernier tableau avant qu'il ne meure de la peste en août 1576. Le Tintoret, peintre religieux, a peint *la Création des animaux*, une œuvre pleine de mouvement. Pour apprécier pleinement son génie, il faut aller à San Rocco. Enfin, le plus grand coloriste du XVIᵉ siècle est sans aucun doute Véronèse. Il a beaucoup travaillé pour décorer le palais des Doges.

C'est un peintre joyeux qui aime la richesse. Sa *Bataille de Lépante* est célèbre, mais c'est avec *le Repas chez Lévi* (1576), commandé par les dominicains des Santi Giovanni e Paolo, que Véronèse eut de sérieux ennuis avec l'Inquisition qui a considéré son tableau trop profane. Il s'en tirera en changeant le titre initialement prévu, *la Cène*.

Si le XVIIᵉ siècle est sans grand intérêt, le XVIIIᵉ donne à Venise ses derniers grands peintres, dans un moment de fêtes et de spectacles, malgré une récession économique inéluctable et un manque de mécènes.

Canaletto, Longhi et Guardi ont peint des *vedute*, c'est-à-dire des peintures représentant des "vues" de Venise avec des aspects de la vie quotidienne. Quant à l'immense Tiepolo, on ne peut imaginer qu'il réalise de véritables chefs-d'œuvre dans une Venise épuisée. Il reprend les couleurs de Véronèse, délaisse les ténèbres du Tintoret et donne à ses peintures et fresques une belle lumière et une légèreté inégalables. Ses couleurs pastel font de splendides trompe-l'œil. C'est un monde irréel qui laisse la place au rêve.

29

27. Titien, *La Pietà*, 1576, Huile sur toile, 378 x 374 cm, Venise, Accademia
28. L'Accademia
29. Vittorio Carpaccio *Cycle de la croix, Miracle de la croix au pont du Rialto, La Guérison d'un possédé*, 1494, Huile sur toile, 363 x 406 cm, Venise, Accademia

Avant de quitter l'Accademia, il faut regarder avec attention le sol constitué de petits carrelages travaillés avec de l'huile pour éviter qu'ils ne se cassent. Ce sol élastique, *terrazzo alla veneziana*, a été réalisé pour supporter l'instabilité du sol et les tremblements de terre. On le retrouve un peu partout dans Venise. Perdus dans la contemplation d'un tableau, il arrive que les vibrations du sol surprennent les visiteurs. Assez impressionnant...

Tout proche du musée de l'Accademia, en descendant le Grand Canal vers le bassin de Saint-Marc, un palais à un seul étage, le palais Venièr dei Leoni construit en 1749 par la famille Venièr, n'a jamais été terminé pour des raisons incertaines. Une richissime américaine, Peggy Guggenheim, l'achète en 1949 et y installe les peintures et sculptures contemporaines qu'elle avait acquises de façon régulière. Elle en a fait la plus importante collection privée d'art moderne en Europe avec des œuvres de Picasso, Ernst (qui fut son mari), Pollock, de Chirico, Chagall, Magritte, Man Ray... A sa mort en 1979, elle légua ses collections à la Fondation Guggenheim.

Avant d'arriver à la pointe de Dorsoduro, l'imposante église Santa Maria della Salute a été construite par Baldassare Longhena pour remercier la Vierge d'avoir mis fin à la terrible épidémie de peste de 1630. Baroque, de forme octogonale, surmontée d'une grande coupole, elle est dotée de statues des douze apôtres, en pierre blanche d'Istrie.

Pour soutenir cet édifice, il a fallu enfoncer plus d'un million de pilotis dans le sol. L'intérieur de la Salute est assez froid, malgré un très beau pavement de mosaïques. Des œuvres de Giordano, de Titien et du Tintoret (*les Noces de Cana*) apportent une âme à cette immense église.

L'extrême pointe de Dorsoduro, appelée Pointe de la Douane, offre une vue imprenable sur la Piazzetta, le palais ducal et la riva degli Schiavoni, ainsi que sur les îles de San Giorgio et de la Giudecca. La Douane de Mer, formée de bâtiments reconstruits à la fin du XVIIe siècle, était destinée au contrôle des bateaux arrivant à Venise. La tour de la Douane est surmontée d'une girouette, statue de la Fortune sculptée par Falcone, posée sur une boule dorée. De là, on peut longer la face sud de Dorsoduro, en prenant les quais des Zattere, le long du canal de la Giudecca. C'est un lieu de promenade très agréable qui permet de voir les paquebots venant de la gare maritime se diriger vers le bassin de Saint-Marc et la pleine mer.

Le long des Zattere se trouvent les anciens entrepôts à sel du XIVe siècle, modifiés au XIXe, l'église dei Gesuati du XVIIIe avec quelques œuvres de Tiepolo, le squero de San Trovaso, atelier qui fabrique et répare les gondoles. Un peu plus loin, l'église San Sebastiano du XVIe a été décorée par Véronèse.

En revenant vers le centre de Dorsoduro, l'église Santa Maria del Carmelo ou dei Carmini de la fin du XIIIe siècle, avec sa façade en briques du XVIe, possède des peintures de Lorenzo Lotto, de Cima da Conegliano, de Ricci. Tout à côté, la Scuola Grande dei Carmini est la dernière construction de la ville avec une décoration rococo. Au plafond, les fresques du XVIIIe siècle ont été réalisées par Tiepolo et les peintures monochromes sont de Piranesi.

30. Giorgione, *La Tempête*, Huile sur toile, 82 x 73 cm, 1510, Venise, Accademia
31. Véronèse, *Le Repas chez Lévi* (détail), Huile sur toile, 555 x 1310 cm, 1573, Venise, Accademia
32. Le Tintoret, *La Création des animaux*, Huile sur toile, 151 x 258 cm, 1550, Venise, Accademia

33. Gentile Bellini, *La Procession de la place Saint-Marc,*1496, Huile sur toile, 367,5 x 746 cm, Venise, Accademia

Le campo Santa Margherita, l'un des plus grands après la Piazza, fonctionnait jusqu'au XIXᵉ siècle comme un *campo* de marchandises, réservé exclusivement aux marchands étrangers. Il est entouré de maisons des XIVᵉ et XVᵉ siècles. Aujourd'hui, c'est un endroit sympathique avec un marché tous les matins, des bancs protégés du soleil par les arbres, de nombreux cafés. C'est le quartier universitaire de Venise. En fin d'année, les étudiants viennent y fêter leur réussite. Sur le rio di San Barnaba, un marché flottant vend des fruits et des légumes provenant des îles de la lagune. Se promener dans Dorsoduro est un vrai plaisir du côté de San Barnaba, de la fondamenta di Borgo, du rio Ognissanti ou vers la Pointe de la Douane en passant par les *calli* intérieures.

Au sud de Dorsoduro et séparée par le canal de la Giudecca, l'île de la Giudecca est un ensemble d'îlots très proches les uns des autres. Sa forme allongée lui avait valu le nom de Spinalunga (épine longue). Quant à son nom actuel, la Giudecca, l'explication est plus controversée. Les juifs (*giudei*) vivaient dans l'île au XIIIᵉ siècle avant d'être regroupés dans le Ghetto à Cannaregio. Des nobles jugés (*giudicati*) pour certains délits avaient dû quitter le centre pour s'installer dans cette île. C'était un lieu de villégiature pour les Vénitiens fortunés désirant aller à la campagne.

La Giudecca, qui produisait fruits et légumes pour la ville, est aujourd'hui un endroit particulièrement tranquille.

34. Sculpture dans le jardin du palais Guggenheim
35. Le pavement de la Salute
36. Giambattista Tiepolo, *Dévots dans une loggia*, 1745 ?,
    Fresque détachée, 400 x 186 cm, Venise, Accademia
37. La Salute

L'été, quand il fait trop chaud sur les Zattere, les *fonda-mente*, face nord de la Giudecca, offrent un peu de fraîcheur. Pour supplier le Christ Rédempteur d'arrêter la tragique épidémie de peste de 1576, le Sénat décida de la construction de l'église du Rédempteur dont l'architecte fut Antonio Palladio (1508-1580). Da Ponte acheva les travaux en 1592.

A l'est de l'île, se situe le superbe hôtel de luxe, le *Cipriani*, avec sa belle piscine.

Un ancien moulin à farine de style néo-gothique, en briques rouges, le Mulino Stucky, pose sa silhouette incongrue à l'ouest de la Giudecca. Construit à la fin du XIXᵉ siècle, son propriétaire a été assassiné par l'un de ses employés en 1910. Ce moulin est aujourd'hui en cours de rénovation. L'île de San Giorgio Maggiore, à l'est de la Giudecca, en face de la Piazzetta et du palais ducal, contrôlait les bateaux venant du large.

L'église San Giorgio Maggiore, en pierre blanche d'Istrie, aveuglante les jours de grand soleil, a été commencée par Palladio et achevée par Vincenzo Scamozzi. Du haut du campanile datant du XVIIIᵉ siècle, la vue est exceptionnelle sur San Marco, la Giudecca et la lagune. Au pied du campanile, les cloîtres parfaitement entretenus de l'ancien monastère bénédictin méritent l'attention. A l'abandon après le départ des troupes napoléoniennes, Vittorio Cini, un riche mécène, le transforme, en 1951, en Fondation Cini. Actuellement, c'est un centre international de congrès, d'art et de culture.

38. La façade secondaire du palais Contarini
39. L'intérieur de l'église dei Carmini
40. Gondoles sur les Zattere
41. Le rio di San Trovaso

47. Vue du campanile de San Giorgio Maggiore sur le cloître et la Giudecca
48. Maison de la Giudecca
49. Le cloître du couvent de San Giorgio Maggiore
50. L'intérieur de l'église San Giorgio Maggiore

SAN POLO ET
SANTA CROCE

En venant de la Piazza par les *mercerie*, on arrive dans le cœur commerçant de Venise. Le campo San Bartolomeo a gardé l'ambiance très active des XIᵉ et XIIᵉ siècles, mais c'est après avoir traversé le pont du Rialto que se trouvent les marchés aux fruits et légumes, l'Erberia, et le marché aux poissons, la Pescheria, dans le *sestiere* de San Polo. Tout ce quartier autour du pont correspondait à la place commerçante et économique de la ville : marché aux épices, aux produits de luxe, aux soieries, aux pierres précieuses... et marché aux esclaves. A l'apogée de son commerce (XIIIᵉ-XVᵉ siècles), se sont développés les banques, les courtiers d'assurance, la prostitution dans l'aire de Cassiano, et de nombreux bars à vins ont ouvert. Aujourd'hui, les filles de joie ont disparu, mais comme dans toute grande ville touristique, les vendeurs de souvenirs se sont multipliés. Venise poursuit d'une certaine façon sa tradition commerciale. Les *baccari* ou bars à vins y côtoient les marchands de *fast-food...*

Cette zone de Rialto a été très vite habitée, et pour passer d'une rive à l'autre, des *traghetti* faisaient l'aller et le retour en transportant personnes et marchandises. Puis, pour faciliter les choses, un pont permanent formé de barques, suivi d'un pont en bois a été réalisé. Plusieurs fois incendié, il a été reconstruit en pierre par Da Ponte en 1591. Ce pont en pierre d'Istrie, à arche unique, a été construit au point le plus étroit du canal et repose sur plus de 6 000 pilotis. De chaque côté du pont se trouve une rangée de boutiques.

Du côté de San Marco, le Fondaco dei Tedeschi était l'entrepôt des marchands allemands, et du côté de San Polo, le palais dei Camerlenghi abritait les trésoriers de la République.

51. Le pont du Rialto

San Polo est le *sestiere* le plus petit de Venise, et en dehors de cette zone d'activités intenses, on découvre le vaste campo San Polo. Sur cette place à l'ambiance familiale se déroulent de nombreuses manifestations culturelles à ciel ouvert, dont des projections de films pendant l'été et ce jusqu'à la fin de la Mostra, début septembre.

Sur le campo dei Frari, se dresse l'imposante et froide église Santa Maria Gloriosa dei Frari (dite "les Frari") en briques rouges plus légères que le marbre. De style gothique, elle mélange des éléments byzantins et romans. Construite par les franciscains, elle fut consacrée en 1492. C'est l'une des deux plus grandes églises à Venise avec celle des Santi Giovanni e Paolo à Castello.

52. L'Erberia
53. La Pescheria
54. Le rio San Giacomo dell'Orio

L'intérieur de l'église surprend par sa richesse. Au fond, au-dessus du maître-autel, la très grande *Assomption* de Titien (1518). La sacristie présente des peintures de Veneziano (1334) de style moyen âge-byzantin, de Vivarini et une très belle Madone de Giovanni Bellini (triptyque de 1488). Derrière un jubé du XVe siècle, cent vingt-quatre stalles de marqueterie de Marco Cozzi (1468) décorent le chœur des religieux. L'église contient également des sépultures de doges et la tombe de Monteverdi. La tombe pyramidale, néo-classique et étrange du sculpteur Antonio Canova, située à côté du monument baroque du doge Pesaro, déconcerte. En face, la tombe Renaissance de Titien.

L'ancien couvent des Frari abrite les archives de l'Etat concernant Venise.

Sur le petit campo San Rocco, l'église San Rocco du XVIIIe siècle, édifiée en remplacement d'une église du XVIe, renferme les reliques de saint Roch. Né à Montpellier en 1295, il s'est beaucoup occupé des pestiférés en Italie. Venise espérait sa sainte protection en y faisant transporter son corps en 1485.

La Scuola Grande di San Rocco est fondée en 1478. Bartolomeo Bon commença les travaux en 1515. Après sa mort, d'autres architectes prirent le relais jusqu'à la fin des travaux en 1560.

Les *scuole* sont des institutions laïques typiquement vénitiennes qui datent du XIIIe siècle et qui sont sous l'influence d'un saint protecteur. De riches nobles et bourgeois donnaient leur obole. C'étaient des institutions de bienfaisance pour les pauvres, les orphelins, les malades, les étrangers... Les nécessiteux étaient secourus. Le système d'assistance s'avérait très efficace et avant-gardiste. On y donnait de nombreux concerts de musique. Au XVe siècle, il y avait six Grandi Scuole, dont San Rocco, et près de quatre cents Minori Scuole. Peu d'entre elles avaient une salle de réunion et une église. Les plus riches furent décorées par des artistes reconnus. Les *scuole* avaient, par ailleurs, un poids important dans la vie politique de la ville. En 1806, Napoléon ordonna leur fermeture et les œuvres furent pour la plupart regroupées à l'Accademia. Aujourd'hui, seules trois *scuole* continuent de fonctionner.

55. Le campo San Polo
56. *L'Assomption* de Titien
57. Triptyque de Giovanni Bellini

58

59

C'est à la Scuola Grande di San Rocco qu'il faut se rendre pour apprécier l'œuvre immense du Tintoret. Au premier étage, dans la sala dell'Albergo, *la Crucifixion* (1565) montre son grand talent. Spécialiste des clairs-obscurs, des scènes vivantes, des couleurs intenses mélangées à des couleurs très claires, il apporte beaucoup de mouvement à ses tableaux. C'est un peintre généreux et passionné qui préféra une pension à vie plutôt que d'être payé à la commande.

Dans la grande salle supérieure, toujours au premier étage, le pavement est en marbre et le plafond à caissons dorés est richement décoré ainsi que les murs. Perdus au milieu de cette frénésie, deux Tiepolo, deux Titien et un Giorgione sur des chevalets. Cette salle est d'une richesse incroyable et stupéfiante. C'est fastueux sans être tape-à-l'œil. Les artistes ont réalisé ici un travail d'exception surtout lorsque vient à l'esprit qu'à la place de San Rocco, il y avait des marécages... C'est un miracle économique et artistique.

Au rez-de-chaussée, le Tintoret termine la décoration de la *scuola* avec huit œuvres illustrant la vie de Marie.

Derrière le couvent des Frari se cachent l'église et la Scuola di San Giovanni Evangelista. Cette dernière est l'une des plus anciennes de Venise. De nombreux concerts de musique classique y sont donnés.

Par ses richesses culturelles (San Rocco et les Frari) et son activité commerçante au Rialto, San Polo est un *sestiere* assez fréquenté.

Quant à Santa Croce, limité au nord par le Grand Canal, au sud par San Polo et Dorsoduro, il faut bien reconnaître que la partie ouest de ce *sestiere* ne présente aucun intérêt particulier. Le parking du Tronchetto, la gare maritime, le parking communal de la Piazzale Roma, les autobus reliant Venise à la terre ferme sont bien utiles, mais c'est tout. Les Giardini Papadopoli ont pris la place du couvent de Santa Croce au XIXe siècle. En arrivant à Venise, pour se rendre au Rialto, il est possible de monter sur un *vaporetto* et de parcourir une partie du Grand Canal ou de traverser les *sestieri* de Santa Croce et de San Polo. Ce n'est pas facile la première fois, c'est tortueux, mais des endroits très sympathiques sont à découvrir, comme par exemple le campo San Giacomo dell'Orio.

58. L'église San Rocco et la Scuola Grande di San Rocco
59. Intérieur de la Scuola di San Giovanni Evangelista : le 1er étage
60. Une margelle de puits sur le campo San Giacomo dell'Orio
61. Le campo Stin

CANNAREGIO

ANNAREGIO est un *sestiere* de Venise très vaste et un peu particulier. Il présente des aspects multiples. Ses richesses culturelles sont moindres qu'ailleurs, mais on peut cependant découvrir quelques petites merveilles dans la plus grande tranquillité, même au plus fort de l'afflux touristique.

Au sud-ouest de Cannaregio, la gare centrale Santa Lucia est construite, en 1861, sur l'emplacement de l'église du même nom. Elle donne directement sur le Grand Canal. Le chemin de fer relie la terre ferme depuis 1846, et le pont de la Libertà (1933) permet aux automobiles de se rendre aux portes de Venise où se trouvent des parcs de stationnement. Entre les habitants de Mestre et de Marghera qui viennent travailler à Venise et le flot de touristes qui arrive en permanence, ce secteur est particulièrement encombré, surtout le matin et le soir. Mais tout ce petit monde se dilue assez bien, soit en *vaporetto*, soit à pied. Presque en face de la gare, le pont degli Scalzi relie Cannaregio à Santa Croce.

Au XIXᵉ siècle, l'agencement de ce *sestiere* fut quelque peu modifié. Pour doubler le Grand Canal réservé aux transports des marchandises et faciliter le déplacement des Vénitiens, il fut décidé le percement d'un axe piétonnier reliant la gare au Rialto. Du rio terrà Lista di Spagna proche de la gare, il faut traverser le pont delle Guglie pour finir par la Strada Nuova, zones très commerçantes. En sortant d'une *calle* où se croiser est parfois difficile, cette rue étonne par sa largeur. On se surprend à imaginer que des voitures pourraient très bien y circuler. Mais ce serait un sacrilège dans cette ville magnifique. Alors, pardon pour cette pensée déplacée... C'est sur cet axe important que se trouvent deux grands magasins, *Standa* et *Coin*.

62. Le pont delle Guglie

63

Cannaregio est une ancienne zone très marécageuse pleine de roseaux et de joncs. *Canne* signifiant roseaux, l'origine du nom de ce *sestiere* vient probablement de là. Cette explication est pleine de poésie, mais est-ce la bonne ? En arrivant de la lagune, les bateaux prenaient le Grand Canal ou une autre voie, le canal royal. Mais alors pourquoi deux "n" à Cannaregio ?

Dans ce *sestiere* tranquille, se trouve le plus vieux quartier juif de toute l'Histoire. Dès le XIᵉ siècle, les juifs habitaient les îles au sud de Dorsoduro, appelées Spinalunga, l'actuelle Giudecca. Les Vénitiens étaient à la fois tolérants et méfiants à leur égard. Leurs intérêts primaient avant tout. Au XIVᵉ siècle, les juifs établissent des organismes de crédit à Venise et sur la terre ferme. L'une des conséquences de la ligue de Cambrai (1509) fut l'installation des juifs à Venise même, et en 1516, l'obligation leur a été donnée de se regrouper dans un tout petit quartier au nord de Cannaregio. C'est le Ghetto Nuovo, entouré de canaux. Le nom de ghetto viendrait de *getto* ou coulée, d'anciennes fonderies se trouvant là. Les Tedeschi sont les premiers arrivants. Sur le vaste campo Ghetto Nuovo se trouvent trois synagogues, appelées aussi *scuole* : l'Italiana, la Canton et la Grande Tedesca. Un peu plus tard, en 1541, les juifs, chassés d'Espagne et du Portugal, s'installent dans le Ghetto Vecchio, suivis des Levantins au XVIIᵉ siècle. Les deux scuole Spagnola et Levantina, de style baroque, sont toujours en activité. L'intérieur des *scuole* est richement décoré par des artistes vénitiens.

Cette zone délimitée par le canal de Cannaregio et le rio della Misericordia était très surveillée. Les juifs s'étaient spécialisés dans les banques, la santé (les médecins étaient réputés) et la confection. Ils devaient porter, déjà, un signe distinctif de couleur jaune... Le Ghetto était fermé de minuit à l'aube par des grilles, et personne ne pouvait y entrer ou en sortir. Les fenêtres donnant sur le canal de Cannaregio étaient murées. Au fur et à mesure que les juifs arrivaient, l'emplacement étant plutôt restreint, les immeubles prirent de la hauteur, jusqu'à sept et huit étages avec des *calli* très étroites. Seuls les deux *campi* offraient un espace ouvert. Près de cinq mille habitants vivaient dans cet espace clos, à l'extrémité de la ville. Malgré leur réussite économique, les juifs n'avaient pas les mêmes droits que les Vénitiens et étaient exclus de toute vie politique et sociale. C'est Napoléon qui ordonna l'ouverture du Ghetto. Quand Venise fut rattachée au royaume d'Italie, les juifs obtinrent leur statut de citoyens.

63. Une *calle*
64. Immeuble du Ghetto

65

66

Dans ce quartier nord de Cannaregio excentré et particulièrement paisible, trois *rii* parallèles au canal de Cannaregio permettent une bonne circulation des marchandises.

Sur le rio di Sant'Alvise, l'église du même nom (XIVᵉ siècle) offre de belles fresques au plafond et quelques œuvres de Tiepolo.

L'église Madonna dell'Orto, de style gothique, a été décorée par le Tintoret.

56

65. L'église Madonna dell'Orto
66. Le campo Sant' Alvise
67. Le rio di San Felice

Mort en 1594, il y est enterré. Le tableau du *Jugement dernier* est impressionnant. En vis-à-vis, *l'Adoration du veau d'or.*

En face, le campo dei Mori avec ses trois statues d'hommes enturbannés dans les murs à côté du palais Mastelli. Celui-ci a appartenu à de riches marchands du Péloponnèse, les Rioba. Sur la fondamenta dei Mori, la maison du Tintoret. Il vivait bien à l'écart de San Rocco où il a passé tant d'années à peindre.

A la limite de Castello, l'église Santa Maria dei Miracoli, construite par Lombardo à la fin du XVᵉ siècle, est une petite merveille. En marbres polychromes de couleur pâle, elle a bénéficié d'une sérieuse restauration récente. L'intérieur est tout aussi magique. L'ancienne maison de Marco Polo se trouve à deux pas de là, dans la corte seconda del Milion.

Et puis Cannaregio, c'est aussi la Fondamenta Nuove qui part de la Sacca della Misericordia et va au delà de l'hôpital de la ville dans le *sestiere* de Castello. Ces quais déserts et orientés vers le nord ne ressemblent en rien aux Zattere de Dorsoduro. Datant du XVIᵉ siècle, ils sont carrément hostiles le soir, mais en fin d'après-midi, le contraste est saisissant avec une très belle lumière donnant sur l'île San Michele (le cimetière de Venise) et Murano juste derrière. L'embarquement pour les îles se fait de l'embarcadère Fondamenta Nuove.

68. L'église de l'Abazia
69. Cannaregio la nuit

60

CASTELLO

E *sestiere* de Venise est le plus vaste et le plus hétérogène, le plus surprenant aussi lorsqu'il est parcouru avec un peu de curiosité. Une partie assez animée jouxte San Marco, une autre vers le campo Santi Giovanni e Paolo et les Fondamente est plus calme. Enfin l'Arsenal et l'île de San Pietro sont des havres de paix.

Au sud, séparé du palais ducal par le rio di Palazzo, Castello est un endroit très fréquenté. C'est le prolongement touristique de San Marco. Après le môle, la riva degli Schiavoni, suivie d'autres quais, longe le *sestiere* jusqu'aux jardins publics. Il y a beaucoup de monde sur cette *riva* où se font les départs pour le Lido et San Giorgio. Sur ce quai, de nombreux bateaux dalmates apportaient leurs marchandises dont des esclaves. *Schiavo* signifie esclave, d'où le nom de la *riva*.

L'entrée de l'hôtel de luxe *Danieli* dans le palais Dandolo est plutôt discrète. C'est là que George Sand trompait Alfred de Musset avec le médecin de ce dernier. Un peu plus loin, l'église Santa Maria della Visitazione dite la Pietà est l'église de Vivaldi. L'Ospedale della Pietà (XVᵉ) recueillait les jeunes filles abandonnées et leur donnait une sérieuse éducation musicale. Antonio Vivaldi (1678-1741), dit "le prêtre roux", était leur professeur. Violoniste particulièrement doué, c'était aussi un compositeur prodigue. Son œuvre la plus connue est sans aucun doute *les Quatre Saisons*. Sous sa direction, des concerts réputés étaient donnés dans la chapelle par les jeunes filles. En 1706, Giorgio Massari construisit l'église, décorée par Tiepolo, qui dépendait de l'Ospedale.

70. La riva degli Schiavoni

A proximité, l'église San Zaccaria du IXᵉ siècle, remaniée plusieurs fois, présente une façade Renaissance de l'architecte Codussi. A l'intérieur, entre autres merveilles, un très beau retable de Giovanni Bellini (1505). Le couvent attenant recevait les jeunes filles les plus riches de Venise. C'était un couvent joyeux et libertin ! La Scuola San Giorgio degli Schiavoni fut fondée en 1451 et décorée par Carpaccio. De même, les Grecs, dont le nombre a augmenté considérablement avec la chute de Constantinople (1453) tombée aux mains des Turcs, ont construit une *scuola* et une église (XVᵉ siècle). L'intérieur de l'église révèle l'art byzantin dans toute sa richesse.

Au nord de Castello, la Fondamenta Nuove côtoie l'Ospedale Civile, hôpital municipal, qui a remplacé la Scuola Grande di San Marco (période napoléonienne). L'entrée de l'ancienne *scuola* donne sur le très grand campo Santi Giovanni e Paolo, dit San Zanipolo en vénitien, à côté de l'église du même nom. Cette église en briques rouges, de style gothique vénitien, est la plus grande de Venise.

Construite par les dominicains du XIIIᵉ au XVᵉ siècle, elle a accueilli de nombreux doges pour leur dernière demeure.

A droite de l'entrée de cette église, la statue équestre du condottiere Bartolomeo Colleoni sculptée par Andrea Verrochio en 1488. Il avait accumulé une fortune considérable qu'il voulait léguer à la ville à condition qu'un hommage quotidien lui soit rendu sur la Piazza. Ce n'était pas acceptable pour la République, alors Venise le plaça à côté de la Scuola Grande di San Marco. Jouer sur le nom "San Marco" était une grande leçon de diplomatie de la part des Vénitiens. *Ce campo* tranquille et vivant à la fois favorise les moments de détente.

En face de la Librairie française, l'Ospedaletto fut l'un des quatre grands hôpitaux de Venise à s'occuper des vieux et des délaissés. On y donnait aussi des concerts et la Sala della Musica (1776-1777) récemment restaurée est une pure merveille. Les fresques sont de Jacopo Guarana et les trompe-l'œil d'Agostino Mengozzi Colonna.

71. Fenêtres donnant sur le rio dei Greci
72. Le rio dei Greci

73. Le rio dei Greci
74. Le campo Santi Giovanni e Paolo et son église

En revenant sur San Marco, le campo Santa Maria Formosa est très agréable avec son marché, son église du XVᵉ siècle remaniée et un malheureux palais laissé à l'abandon.

Même si aujourd'hui l'Arsenal n'est plus qu'un terrain militaire, donc une zone interdite, dans un quartier désert, il mérite qu'on s'intéresse à son passé glorieux. Fondé en 1104, l'Arsenal était le chantier naval de Venise et appartint à la République dès la fin du XIIᵉ siècle.

Au fur et à mesure de la croissance économique et des besoins en galères de la Sérénissime, l'Arsenal prit de l'extension. C'était le plus grand chantier naval au monde et le

plus efficace. Capables de mettre à l'eau un bateau en un jour, les *arsenalotti* étaient des ouvriers très spécialisés dans leurs tâches, très organisés et étaient tenus au secret le plus absolu. C'était aussi une manufacture et un entrepôt d'armes, ce qui explique la nécessité d'une surveillance sans faille dans tout ce périmètre. L'Arsenal ne faisait appel à aucun sous-traitant. Un Amiral aidé de contremaîtres s'occupait de toute la partie technique et les *patroni*, choisis par le Conseil des Dix, veillaient sur l'intendance, la gestion et la sécurité de l'Arsenal. On y employait jusqu'à plus de 3 000 *arsenalotti* et, à la veille de la grande bataille de Lépante (1571), l'Arsenal fournit une

75. Le condottiere Bartolomeo Colleoni
76. Vue sur les canaux

centaine de galères en cinquante jours. Son activité s'effondra après le passage de Napoléon. Aujourd'hui, on peut juste admirer le portail Renaissance (1460) - flanqué de chaque côté d'un lion en marbre, lions rapportés de Grèce au XVIIᵉ siècle - et traverser une petite partie de l'Arsenal, en prenant le *motoscafo* qui fait le tour de la ville dans les deux sens.

Il est toutefois très difficile d'imaginer l'intense activité de ce chantier naval à son apogée, au XVIᵉ siècle. La Biennale occupe tous les deux ans une partie de l'Arsenal et il faut espérer que des décisions positives seront prises quant à son avenir.

A l'extrémité sud-est de Castello, la via Garibaldi, très large et commerçante, est située dans un quartier populaire et date de l'époque napoléonienne. Les Giardini Pubblici de cette zone, ainsi que ceux de Sant'Elena, sont l'espace vert de la ville.

Jadis appelée Olivolo, l'île de San Pietro di Castello a été habitée dès les premiers temps. Un château se trouvait sur cette île, d'où le nom de Castello donné à ce quartier. C'est ici qu'était la cathédrale de Venise jusqu'en 1807, date à laquelle ce titre est attribué à la basilique Saint-Marc. C'est l'une des plus vieilles églises de Venise (VIIᵉ siècle), en pierre blanche d'Istrie avec une façade dessinée par Palladio.

77. Portail de l'Arsenal
78. San Pietro di Castello

LE GRAND CANAL ET SES PALAIS

L E Grand Canal ou Canalazzo, contraction de *canal* et de *palazzo*, présente la forme d'un S inversé. Il sépare la ville en deux sur une longueur d'environ 4 kilomètres avec, sur chacune de ses rives, de nombreux palais. L'ambassadeur du roi de France Charles VIII, Philippe de Commynes, écrivit en 1495 : "c'est la plus belle rue que je crois qui soit en tout le monde".

De la Piazzale Roma au bassin de Saint-Marc, cette voie principale de la ville où a lieu une circulation quotidienne très intense et diverse, n'a que trois ponts : les Scalzi, le Rialto et l'Accademia. Un autre moyen de traverser le Grand Canal est de prendre les *traghetti* qui permettent de rejoindre rapidement la rive opposée.

Autrefois, les marchandises arrivaient par le Grand Canal jusqu'à des entrepôts qui servaient également d'habitations, d'où le nom de maison-entrepôt. Habitation se dit, en italien, *casa* ou *Ca'* auquel était ajouté le nom de la famille qui y habitait.

Dans les premiers temps, ces entrepôts étaient modestes et, au fur et à mesure de l'enrichissement des marchands, ils furent agrandis et embellis jusqu'à devenir les palais que nous admirons aujourd'hui. Les marchandises étaient déchargées devant la porte principale signalée par un ponton, encadré par des *pali* ou pieux de bois aux couleurs de la famille, puis étaient emmagasinées au rez-de-chaussée. A l'entresol, se trouvaient des bureaux et au premier étage ou *pianonobile*, une grande pièce décorée, le *portego*, avec de chaque côté de petites pièces qui servaient de chambres. Aux XIIᵉ et XIIIᵉ siècles, ces édifices ne présentaient que deux étages, et plus tard, un ou deux étages supplémentaires destinés à la location apportaient des revenus complémentaires au propriétaire.

79. Un *traghetto*

Pour accéder aux étages, un escalier extérieur débouchait dans la cour, remplacé au XVe siècle par un escalier intérieur. La façade donnant sur le Grand Canal était bien mise en valeur avec des placages de marbre souvent polychromes, des fresques et des peintures, tandis que l'entrée secondaire sur la *calle* était beaucoup plus simple. En fait, les visiteurs arrivaient presque toujours par voie d'eau.

Quand on voit tous ces palais bordant le Grand Canal, il est difficile de s'imaginer qu'ils ont été construits sur des îlots, voire sur des marécages qu'il a fallu assécher dans un premier temps. Ensuite, pour consolider le sol, des pieux de bois (chêne, aulne, conifère) sur lesquels repose une plate-forme de poutres en croisillons ont été enfoncés. Enfin, les soubassements de l'édifice pouvaient être construits. Cet agencement sur pilotis nécessite l'emploi de matériaux légers.

80. Le Grand Canal
81. Le Fondaco dei Turchi
82. La Ca'd'Oro

83

C'est ainsi que la brique d'origine locale, légère et de surcroît, économique, a été beaucoup utilisée. Il suffisait alors d'ajouter un placage de marbres pour ne pas alourdir l'ensemble et embellir avantageusement la façade. Une grande partie de la ville est érigée sur pilotis.

Le Grand Canal abonde en palais somptueux, séparés par des édifices plus modestes, le tout dans des styles différents qui s'harmonisent toujours. En glissant lentement à bord de l'*accelerato 1*, on a vraiment le temps d'admirer chacune des deux rives. Et puis, refaire le même trajet la nuit, ou mieux encore, toujours la nuit mais par temps de brouillard, c'est vraiment magique ! Le Grand Canal est alors sûrement à des années-lumière de ses activités commerçantes du Moyen Âge, mais puisqu'il est impossible de revenir dans le passé, sachons tout simplement profiter de l'instant présent en admirant le travail accompli par ces travailleurs acharnés et esthètes, en espérant que l'Homme sera suffisamment raisonnable pour préserver le mieux possible cette splendeur d'hier.

Même si de nombreux palais ont disparu, il s'en trouve encore suffisamment pour en apprécier les différentes époques. A l'entrée du canal de Cannaregio, le palais Labia, de style baroque, est aujourd'hui le siège de la RAI. A l'intérieur, de très belles fresques de Tiepolo. En face de San Marcuola, se trouve l'un des palais les plus importants du Grand Canal. De style vénéto-byzantin, flanqué de deux tourelles et bien adapté au commerce fluvial, le Fondaco dei Turchi est loué à des marchands turcs au XVIIᵉ siècle. Mal restauré au XIXᵉ, c'est aujourd'hui le musée d'histoire naturelle de la ville. Un peu plus loin, le Deposito del Megio, gothique, est l'ancien grenier de Venise.

Du côté de San Marcuola, le palais Loredan-Vendramin-Calergi (début XVIᵉ siècle) appartient à la ville depuis 1946 et en est le casino d'hiver.

La Ca'Pesaro, baroque, construite au XVIIᵉ siècle par Baldassare Longhena abrite le musée d'art moderne et le musée oriental.

L'un des plus beaux palais gothiques vénitiens est la Ca'd'Oro. Construit au XVᵉ siècle par Matteo Raverti, architecte lombard, c'est sans aucun doute le palais le plus célèbre du Grand Canal voire de Venise, le palais ducal mis à part. Ce palais fut haut en couleurs puisque sa façade d'un bleu intense était dorée à la feuille. Après d'invraisemblables modifications dues aux caprices d'une danseuse étoile russe, le baron Giorgio Franchetti achète la Ca'd'Oro à la fin du XIXᵉ siècle et la restaure de façon admirable. A sa mort, il lègue le palais et ses collections à la ville qui en fait un superbe musée. A voir, la cour pavée de belles mosaïques.

Au Rialto, le Fondaco dei Tedeschi du XVIᵉ siècle, aujourd'hui poste centrale, était un entrepôt loué à des marchands allemands.

Le palais Pisani-Moretta, gothique, présente une très belle décoration intérieure, des peintures de Véronèse, de Tiepolo et de Piazzetta. Pour permettre l'entretien du palais, ses propriétaires le louent (réceptions, bals, films publicitaires...). Lié à ce palais, le Barbarigo della Terrazza donne sur le rio di San Polo et le toit-terrasse sur le Grand Canal indique une construction inachevée.

83. La fin du Grand Canal
84. Giandomenico Tiepolo, *La Balançoire des Polichinelles*, 1791 ?, Fresque de la Villa Zianigo, Venise, Ca' Rezzonico
85. Le palais Pisani-Moretta

Vers la fin du Grand Canal, le palais inachevé Venièr dei Leoni du XVIIIᵉ siècle a été acheté par Peggy Guggenheim. C'est un musée privé d'art contemporain. Tout à côté, un magnifique palais Renaissance, la Ca' Dario attire le regard par son charme tout particulier. Sa façade asymétrique est incrustée de disques en marbres polychromes. En l'observant bien, il s'en dégage quelque chose d'étrange. Il faut savoir que ce palais a mauvaise réputation, ses propriétaires meurent de façon bizarre et souvent violente.

Evidemment, le Grand Canal ne présente plus la même activité marchande qu'au Moyen Âge, ni l'activité due aux mœurs légères du XVIIIᵉ siècle, mais il reste une embarcation qui continue de se balancer doucement sur l'eau, c'est la gondole.

86. La Ca'Dario
87. Gondoliers
88. Une gondole et son *ferro*

Malheureusement pour Venise, sa remarquable collection d'œuvres d'art se trouve au musée de l'Ermitage à Saint-Pétersbourg.

La Ca'Foscari, dans la seconde courbe du Grand Canal, construite par Bartolomeo Bon (milieu XVᵉ) pour le doge Francesco Foscari, a été rachetée par la ville au XIXᵉ siècle et l'Université de Venise en a fait son siège principal.

Le palais Grassi, construit par Giorgio Massari pour la famille Grassi au début du XVIIIᵉ siècle, a été acheté par la fondation FIAT. Très bien restauré par ses mécènes, il est devenu un centre culturel important (expositions, concerts, conférences...). C'est le dernier des grands palais construits sur le Grand Canal.

La Ca'Rezzonico, commencée en 1667 par Longhena, a été achevée par Massari pour la famille Rezzonico. Actuellement en cours de restauration, c'est le musée du XVIIIᵉ siècle vénitien avec des fresques de Tiepolo père et fils, Guarana, des peintures de Canaletto, Longhi, Guardi. Dans ce magnifique palais, de nombreuses fêtes ont été organisées dans une époque des plus festives pour Venise.

88

89

Autrefois, elle servait au transport des habitants et des marchandises dans toute la ville, ce qu'elle fait encore aujourd'hui avec le *traghetto* en plusieurs points du Grand Canal.

A partir du XIe siècle, les familles nobles de Venise ont eu leur propre gondolier, voire plusieurs, à leur service. Il s'établissait alors une relation de confiance entre eux et malheur à celui qui divulguait confidences et secrets. Les *felze*, petites cabines en bois protégeant les occupants de l'extérieur, pouvaient servir de rendez-vous d'affaires, ou mieux de rendez-vous galants. De forme asymétrique, et

tout en noir depuis les lois somptuaires du XVIe siècle interdisant le luxe ostentatoire, la gondole est d'un maniement délicat et nécessite un long apprentissage. A l'avant, le *ferro* a six dents qui représentent les six *sestieri*, et la partie supérieure le bonnet ducal. Voilà pour la légende !

Dans certains endroits très touristiques, des convois de gondoles accompagnés parfois d'une sérénade sont organisés pour les touristes. Si l'on a un peu de temps, glisser le long des canaux avec un gondolier désireux de partager sa ville est une expérience inoubliable et permet de voir Venise des canaux.

Les gondoles, concurrencées par les *vaporetti* au XIXᵉ siècle et les taxis, se déplacent lentement sans abîmer les fondations des édifices. Elles ne provoquent pas les remous qui exposent à l'air régulièrement les pilotis devant impérativement rester dans l'eau pour éviter tout pourrissement.

Après des siècles de construction et d'enrichissement sur le Grand Canal, les palais subissent, surtout au XIXᵉ siècle, une dégradation importante due à des successions difficiles, un manque d'argent, et des restaurations malheureuses. De plus, de nombreuses *acque alte* (inondations) et la subsidence (affaissement du sol) détériorent les fondations. Les façades sont elles aussi très touchées. La pollution industrielle du complexe de Mestre-Marghera attaque les marbres, les pierres, les fresques... et l'Homme.

Venise fait partie d'une lagune et présente donc un climat très humide, ce qui facilite le développement d'algues et de lichens. Quant à la brique, légère et économique, elle a le défaut d'être poreuse. Lorsqu'elle n'est plus protégée par la pierre d'Istrie, elle s'effrite au contact de l'eau saumâtre.

L'impressionnante *acqua alta* du 4 novembre 1966 a réveillé le monde entier qui a soudain pris conscience que Venise allait être engloutie sous les eaux si rien n'était entrepris rapidement et sérieusement. Le problème est très complexe. Des aides internationales, des mécènes et l'UNESCO ont permis de très importantes restaurations de palais, d'églises et d'œuvres d'art depuis une trentaine d'années. Mais ces travaux ne représentent que la partie visible de ce qui est entrepris pour la sauvegarde de Venise.

89. La Serenata
90. Une entrée de palais

LES FÊTES VÉNITIENNES

LES Vénitiens sont sensibles à leurs fêtes traditionnelles et continuent de les célébrer.

Le carnaval de Venise connaît son apogée au XVIIIᵉ et s'éteint en 1797 avec la chute de la République. Il y a une vingtaine d'années, les Vénitiens renouent avec le côté fastueux du XVIIIᵉ siècle. La Piazza et ses alentours sont bondés, les costumes vus, ici et là, sont magnifiques. C'est un immense plaisir pour un certain nombre d'habitués de toujours améliorer leur habillement.

Aujourd'hui, le carnaval dure deux semaines et se termine le soir du mardi-gras. Au XVIIIᵉ siècle, il durait environ six mois avec quelques petites interruptions. Les Vénitiens, costumés et masqués, pouvaient se mélanger sans tenir compte de leur condition sociale. Ils se défoulaient dans toute la ville, allaient au café, s'encanaillaient, jouaient dans les nombreux salons de jeux ou *ridotti*. Venise était une ville connue dans toute l'Europe pour son luxe, ses plaisirs et son libertinage. Facile ! Le masque permettait toutes les imprudences. Il n'est pas étonnant que Casanova, cet érudit libertin, joueur, débauché, joyeux se soit épanoui dans cette ambiance de fêtes quasi-permanentes. La fête avait lieu dans la rue et dans les palais. Venise claquait son argent dans un monde déjà bien décadent. Casanova symbolise cette Venise de la fête. Condamné par les Inquisiteurs de la République, il se retrouve dans les prisons du palais ducal, mais s'en échappe quelques mois plus tard. Il raconte dans ses *Mémoires* sa célèbre fuite des Plombs en 1756. De retour à Venise, il sera agent secret pour ces mêmes Inquisiteurs. On croit rêver !

91. Le feu d'artifice tiré du bassin de Saint-Marc

92

93

Ce siècle de la fête, des jeux et de la licence est aussi celui du théâtre, de la musique et de la couleur.

Goldoni abolit la *commedia dell'arte* avec ses personnages traditionnels. Il privilégie l'improvisation et institue la comédie de mœurs plus réaliste et cruelle. Il meurt à Paris en 1793 dans l'ignorance et la pauvreté.

Quant à la peinture, elle s'enrichit des merveilleuses fresques de Tiepolo, des *vedute* de Canaletto et de Guardi, et des scènes de Longhi.

Ce siècle de fêtes sera suivi d'un siècle de grande pauvreté. Ce sont les lendemains qui déchantent...

Le jour de l'Ascension, Venise célèbre ses noces avec la mer. C'est la *Festa della Sensa*. En souvenir d'une expédition punitive réussie en Dalmatie, en l'an 1000, le doge se rendit à San Nicolo del Lido sur la galère de prestige de la Sérénissime, le Bucentaure. De nombreuses embarcations l'accompagnèrent dans une grande euphorie. A l'entrée du port, le doge jeta à la mer un anneau d'or remis par le pape en disant : "Nous t'épousons, ô mer !, en signe de véritable et parfaite domination".

Le dimanche suivant l'Ascension, des régates récentes et très populaires sont organisées à travers la lagune, en passant par les îles de Burano, Torcello et Murano. C'est la *Vogalonga*.

Venise perpétue ses remerciements au Christ Rédempteur pour la fin de l'épidémie de peste de 1576 lors de la *Festa del Redentore*. Chaque année, le troisième dimanche de juillet, un pont provisoire relie les Zattere à l'église du Redentore pour permettre aux Vénitiens... et aux touristes de se rendre sur la Giudecca. Phobiques de la foule, s'abstenir. On dîne sur les *fondamente* de la Giudecca et sur les bateaux décorés dans le bassin de Saint-Marc. C'est la fête et un feu d'artifice étonnant même les plus blasés est tiré avec pour toile de fond la Piazzetta, le palais ducal et l'église San Giorgio qui s'éclairent à chaque tir de feux. L'ambiance est étrange et irréelle, et le spectacle inoubliable d'autant plus s'il est vu d'un bateau ou d'une gondole. La tradition veut que les Vénitiens prolongent la soirée au Lido jusqu'à l'aube.

La *Regata Storica* se déroule sur le Grand Canal le premier dimanche de septembre. Le Canal est animé par une véritable parade de bateaux avec de nombreux équipages en tenues d'époque aux armoiries de familles nobiliaires, avec des représentants de différents quartiers, des équipages de femmes, de jeunes, de moins jeunes... Une maquette du Bucentaure glisse au fil de l'eau... Le Grand Canal est tout bariolé de couleurs comme il devait l'être à l'arrivée de Caterina Corner, reine de Chypre, qui permit à Venise de prendre possession de cette île.

Les Vénitiens font un vœu de bonne santé le 21 novembre, en célébrant la fin de l'épidémie de peste de 1630, dans l'église de la Salute. Un pont de bateaux relie le *sestiere* de San Marco à la Salute.

94

92-93-94-95. Masques et costumes

95

Bien qu'il ne s'agisse pas de fêtes à proprement parler, on peut citer deux manifestations culturelles d'importance à Venise. La Mostra, ou festival international du film, se déroule début septembre au Palais du cinéma au Lido. La première a eu lieu en août 1932. La Biennale d'Art contemporain se déroule tous les deux ans dans les Giardini Pubblici, à Sant'Elena et dans une partie de l'Arsenal. Inaugurée le 30 avril 1895, elle a connu un succès considérable. Les artistes non sélectionnés peuvent exposer dans la ville.

96. La Regata
97. La Regata, équipe féminine
98. La Regata, équipe masculine

LES ÎLES ET LA LAGUNE

VENISE est un ensemble d'îlots situés au centre d'une lagune de 50 kilomètres de long sur 15 de large. Il existe de très nombreuses autres îles, certaines habitées, d'autres non.

En face de Venise, un cordon littoral ou *lido* protège la ville de l'Adriatique. Parmi les trois *lidi*, le lido di Venezia, appelé tout simplement Lido, est une bande de sable de 12 kilomètres de long sur un kilomètre de large. Ce fut un endroit désertique pendant longtemps. On y trouve un vieux cimetière juif avec des tombes du XIIIᵉ siècle. Il faut cependant attendre le milieu du XIXᵉ pour voir se transformer cet endroit en station balnéaire. L'Hôtel des Bains est rendu célèbre grâce au film de Luchino Visconti, *Mort à Venise*. La circulation automobile et de belles maisons avec jardin nous éloignent de l'atmosphère du centre historique de la ville. Lord Byron chevauchait sur les plages sans voir âme qui vive. Il ne reconnaîtrait pas son Lido pendant la période estivale lorsque les Vénitiens viennent prendre l'air et le soleil dès qu'ils ont un moment de liberté.

C'est ici que se déroule la Mostra début septembre.

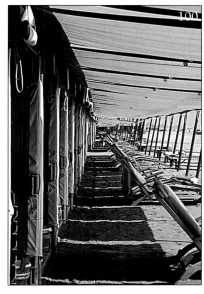

99. L'Hôtel des Bains au Lido
100. Le Lido

De la Fondamenta Nuove, on aperçoit une première île, San Michele, reliée à celle de San Cristoforo. Napoléon ayant interdit les sépultures dans le centre ville, les mises en terre se faisaient là. Des artistes célèbres et amoureux de Venise sont enterrés ici. Juste derrière, l'île de Murano, très vite habitée, a connu un grand développement lorsque les artisans verriers quittèrent le centre de Venise sur ordre de la République pour des raisons de sécurité à la fin du XIIIe siècle. L'art du verre soufflé connut son apogée au XVIe siècle. Les artisans étaient très renommés pour leurs créations délicates, fragiles, colorées et originales. Comme pour l'Arsenal, le secret était de rigueur et gare à celui qui le trahissait. Malgré la crise du XIXe siècle et, aujourd'hui, la concurrence de la verrerie provenant d'Extrême-Orient, la création artistique est importante. La basilique Santi Maria e Donato du VIIe siècle reconstruite au XIIe, est vénéto-byzantine avec ses mosaïques or de l'abside, ses icônes et son pavement (XIIe).

Plus loin dans la lagune, Burano est un village de pêcheurs, connu pour ses dentelles. Cette île présente la caractéristique d'avoir ses maisons peintes de toutes les couleurs, ce qui attire de nombreux artistes, peintres et écrivains.

101. La basilique Santi Maria e Donato (Murano)
102. Le Cinéma du Lido
103. Burano
104-105. Travail du verre à Murano

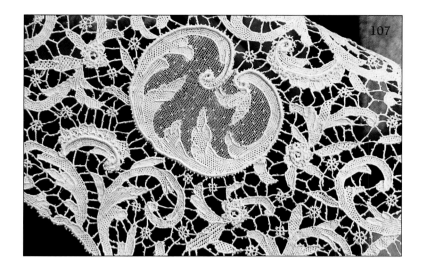

Torcello, de nos jours quasi-déserte, fut l'île la plus peuplée de la lagune. Ceux qui fuyaient Altino devant l'arrivée des barbares s'installèrent dès le VIIe siècle sur cette île inhospitalière et marécageuse. Une vie économique importante se développa, mais l'île perdit ses habitants au XIVe siècle probablement à cause de son insalubrité.

La cathédrale byzantine de Torcello, Santa Maria Assunta, est l'une des plus anciennes églises de la lagune (VIIe siècle). Elle a été remaniée aux Xe et XIe siècles. L'extérieur en briques ne laisse pas soupçonner la richesse et la beauté de l'intérieur. En pénétrant dans la cathédrale, la lumière dorée qui enveloppe ce lieu subjugue le visiteur. Sur la coupole de l'abside, une Vierge à l'enfant du XIIIe siècle sur fond doré, ainsi que d'autres mosaïques, donnent ce halo d'or. Au fond de l'église, *le Jugement dernier* tout en mosaïques décrit de façon très réaliste les châtiments promis aux pêcheurs. Reliée à la cathédrale par un portique, l'église Santa Fosca, de style byzantin, est du XIIe siècle. Ces deux édifices religieux confirment la présence d'une population importante sur Torcello au tout début de la colonisation de la lagune.

D'autres îles moins connues (San Lazzaro degli Armeni, San Francesco del Deserto...) sont encore habitées. Elles ont une activité spécifique : monastère, jardin potager, prison, hôpital psychiatrique... De nombreuses îles étaient occupées par des couvents jusqu'à la fin du XVIIIe siècle. La fin de la République de Venise en 1797 provoqua la destruction et le pillage de nombreuses îles, phénomène aggravé il n'y a pas si longtemps.

Venise fait partie d'un espace lagunaire. L'origine de la lagune est un phénomène géologique récent lié à la fonte des glaciers alpins, suivie de la formation d'un cordon littoral qui sert de protection devant l'offensive de l'Adriatique. A l'embouchure de la plaine du Pô, de nombreuses rivières ont apporté leurs alluvions et ont ainsi

formé les cordons littoraux. La lagune est une zone d'eau saumâtre, avec un gradient de salinité décroissant de la mer à la terre ferme, par le jeu des flux et reflux des marées. La mer entre et sort par les trois passes situées entre les trois *lidi*.

106. Burano
107-108. Dentelles de Burano
109. Plaque de rue et façade colorée

89

112

110. L'île de Torcello au milieu de la lagune
111. L'église Santa Fosca et la cathédrale
Santa Maria Assunta
112. L'intérieur de la cathédrale Santa Maria
Assunta

On distingue des surfaces non submersibles, des bancs de sable ou *barene* recouverts lors des grandes marées, et des surfaces découvertes et recouvertes à chaque marée.

Une lagune évolue naturellement vers sa disparition. En effet, elle subit l'érosion due à la mer et, en même temps, la sédimentation due aux alluvions des nombreux cours d'eau, ce qui provoque un envasement. C'est une zone de marécages insalubres où la malaria a fait des ravages.

Que des hommes soient venu pêcher et extraire du sel, rien de plus normal dans cette configuration géologique, qu'ils se soient installés dans des cabanes, aussi, mais qu'ils aient réussi à construire une ville magnifique sur des terrains "pourris" relève du miracle et, probablement, d'une bonne dose d'inconscience au départ. A moins qu'une intuition géniale chez certains ait permis ce miracle.

Les premiers habitants de la lagune subissaient déjà les crues fluviales et les grandes marées, ce qui ne les a pas découragés de s'y installer. Alors, Venise s'est battue pendant des siècles pour tenter de maintenir cette situation précaire. Les Vénitiens ont détourné les cours des rivières, construit des *murazzi* en pierre d'Istrie sur les *lidi*, des digues au niveau des passes pour éviter l'ensablement et limiter les assèchements de marais. Ils bloquaient de cette façon l'évolution naturelle de la lagune, mais préservaient la ville. La fin de la République signifie aussi la fin des grands travaux lagunaires. La fonte des calottes glaciaires provoque une montée des eaux,

incontrôlable par l'Homme. L'affaissement du sol sous le poids des sédiments, ou subsidence, est un phénomène naturel aggravé par la totale inconscience de l'Homme.

En 1846, Venise perd sa situation privilégiée dans la lagune. Elle est reliée à la terre ferme par un pont ferroviaire de 3,5 kilomètres. Puis, par sa position géographique particulièrement intéressante, une industrialisation démesurée est décidée sur la terre ferme durant ce dernier siècle. Des zones industrielles sont érigées à Porto-Marghera et Mestre, l'aéroport Marco Polo est construit, ce qui conduit à un assèchement du quart de la lagune. L'eau ne peut plus s'étaler normalement. Les passes et canaux, dont le canal des pétroliers, sont creusés avec excès et l'eau s'y engouffre.

Le pompage des nappes phréatiques et l'extraction du gaz naturel augmentent la subsidence naturelle.

Les inondations, ou *acque alte*, ont toujours existé. Elles sont cependant de plus en plus fréquentes et détériorent gravement le bas des édifices et des maisons. L'*acqua alta* du 4 novembre 1966 a mis la Piazza sous 1,20 m d'eau. Il est vrai que celle-ci est sous le niveau de la mer, mais tout de même ! Que s'est-il passé ? La subsidence, un fort coefficient de marée, des courants importants dus au sirocco (vent du sud), une basse pression atmosphérique, des pluies ayant fait monter le niveau des cours d'eau, des courants excessifs dus aux canaux artificiels, une surface lagunaire réduite ont fait déborder la lagune et Venise a connu un début d'engloutissement.

113

C'est la surprise et la panique dans le monde entier qui prend soudainement conscience de la fragilité de Venise.

Des fonds internationaux affluent de toutes parts et, sous l'égide de l'UNESCO, des travaux de restauration sont entrepris pour redonner un air de jeunesse aux palais et aux œuvres d'art. Cependant, le plus important est de limiter le phénomène de subsidence. Les puits artésiens sont fermés, l'extraction du gaz naturel est abandonnée, les travaux de la troisième tranche de Porto-Marghera sont arrêtés, l'activité de ce complexe industriel est réduite et les pétroliers sont détournés au début des années 90. Malgré des dégâts très importants et une subsidence naturelle, l'affaissement du sol s'est ralentie depuis 1975.

Les travaux de restauration vont de pair avec une diminution des différentes pollutions observées dans la lagune. Une pollution urbaine avec un tout-à-l'égout, des canaux non curés pendant des dizaines d'années, une pollution industrielle transformant la lagune en poubelle, une pollution agricole avec un déversement excessif de nitrates entraînant un enrichissement des eaux et donc un développement anormal des algues, une pollution atmosphérique laissant retomber des tonnes d'acide sulfurique sur la ville et l'Homme ont mis gravement en péril cette perle de la lagune. Il faut ajouter l'air ambiant plein d'humidité et de sel.

Alors, en plus de la diminution des activités de Porto-Marghera, les *murazzi* sont renforcés sur le cordon littoral, les canaux sont à nouveau curés, les nitrates, entre autres, sont interdits, les algues récoltées. Enfin, les Vénitiens sont prévenus de l'arrivée d'une *acqua alta* et un projet d'écluses mobiles, projet MOSE, est à l'étude depuis une vingtaine d'années...

Ce dernier siècle a été très dangereux pour Venise, mais on peut espérer que l'alerte a été réellement prise en compte.

113. L'intérieur de la cathédrale Santa Maria Assunta
114-115. *Le Jugement dernier* (détails)

CONCLUSION

Q UE peut représenter Venise aujourd'hui pour un visiteur ? Une ville au passé prestigieux, avec des palais admirables, une richesse artistique unique au monde, une ville mystérieuse et magique pleine de labyrinthes.

Certes, Venise rencontre de grosses difficultés avec une perte démographique importante (la ville ne compte plus que 70 000 habitants aujourd'hui), et un tourisme excessif, mais c'est une ville où il est tout à fait possible de vivre normalement. Venise est une immense zone piétonne et l'on s'y fait très vite. C'est une ville à échelle humaine où les habitants ne sont pas stressés comme à Paris, Londres ou New-York.

C'est un privilège que d'habiter Venise et ses inconvénients passent au second plan devant la qualité de la vie et la beauté de chaque instant.

Venise propose des activités culturelles importantes, la Mostra et la Biennale. Elle crée de nouvelles activités artistiques et technologiques. Venise ne peut se contenter de son passé prestigieux ni aller dans n'importe quelle direction. Venise est à la fois fragile et éphémère par sa situation géographique, et forte par son passé.

Les fantômes des doges veillent sur la Sérénissime...

116. La Salute, au crépuscule

Directeur d'édition : Jean-Paul Manzo

Texte : Véronique Laflèche

Maquette : Albéric Girard
          Cédric Pontes

Couverture : Cédric Pontes

Secrétariat éditorial : Séverine Corson

Crédit photographique : Andréa Luppi
          Klaus H. Carl

Merci à l'Office de Tourisme Italien de Venise pour ses photos

Parkstone Press Ltd
Imprimé en Singapore
ISBN 1 85995 767 6